清　陳鏡伊編

道德叢書　之八

軍人道德

忠義類、仁德類
謀勇類、屯墾類
殘暴類、奸貪類

世界書局

軍人道德

軍人道德史 道德叢書之八

江蘇海門陳鏡伊編

目錄

第一篇 忠義類

死不負國　死而後已

死節不屈 三則　忠義薄天

第二篇　仁德類

秋毫無犯 二則　却金不取

民不苦兵　不侵敵糧

敵國信仰　不取財貨

不妄殺一人　不枉殺一人

不忍多馘　不嗜殺人

保全無算　全活萬人

所至全活　焚籍不究

俘虜悉縱　厚待俘虜

盡放擄婦
悉縱俘婦
悉遣俘女
悉還掠女
悉放俘女
矜撫俘女
不犯俘女
不殺不淫
捨身救人
寬宏能忍
不計私憾
不懷私忿
奉公寬恕
待兵寬厚 二則
待下寬厚
折節禮士
謙恭下士
讓功不居 二則
棄己讓人
折節爲善
一仁一暴

第三篇　謀勇類

奇策制勝 三則
開門却敵
善用間諜
勤慎精密
罰賞得平
立威振軍 二則
儒術治軍
磨礪名將
奮勇當先
所向披靡
轉敗爲功

以計破敵 二則
量沙却敵
熟悉地勢
賞罰嚴明 二則
賞罰公正
威懾敵國
手不釋卷
以寡抗衆
披甲先登
轉敗爲勝

第四篇　屯墾類

第五篇　殘暴類

多殺必敗　所在殘虐

第六編　奸貪類

譖賢害友　忌功詆譖

排擠陷害　忌功排擠

忌妒敗功　驕橫

貪吝　貪奢

奢侈　賞罰不平

昏憒誤國　軍人訓條

軍人道德史 道德叢書之八

江蘇海門陳鏡伊編

第一篇 忠義類

何以家爲（一）

漢霍去病爲人寡言語。有氣敢。善騎射。凡六出擊匈奴。辟地千里。上嘗欲教之孫吳兵法。對曰「顧方略何如耳。不必學古兵法。」上爲治第。令視之。對曰「匈奴未滅。何以家爲。」由是上益重之。

何以家爲（二）

宋岳飛少負氣節。沈厚寡言。家貧力學。尤好左氏春秋孫吳兵法。嘗學射于周同。盡其術。善左右射。同死。朔望必鬻衣具酒肉詣同塚。奠而泣。引同所贈弓。發三矢乃歸。父知而義之曰：『汝爲時用。其徇國死義乎』。靖康初。金人南侵。二聖北狩。飛應募。誓以忠義報國。用兵能以寡擊衆。建炎紹興間。大小百戰。未嘗一敗。南薰門之戰。八百破五萬。桂嶺之戰。八千破十萬。背嵬騎五百破兀朮十萬。又平湖廣大盜如李成楊麼等十數萬。入覲。上賜戰袍金帶衣甲等。御書于旗曰：『精忠』。兵至朱仙鎭。金人已有捐燕以南之懼。時秦檜主和。遂詔班師。一日奉金字牌十二。飛東向再拜曰：『臣十年之功。廢於一旦。非臣不稱職。實秦檜誤陛下也』。竟爲檜所殺。遇害時年三十九。家屬盡流嶺外。朝野寃之。孝宗卽位。復其官爵。以禮改葬。追封鄂王。諡武穆。詔求訪其後子孫。襁褓以上皆官之。凡六人。立廟於鄂。號忠烈。初隸留守宗澤。戰開德曹州皆有功。澤大奇之曰：「爾智勇才藝。古良將不能過。然好野戰。非萬全計。因授以圖陣。」飛曰：「陣而後戰。兵法之常。運用之妙。存乎一心。」澤服其言。每出戰。敵人呼爲岳爺爺而不名。後諸酋聞其死。皆酌酒賀。家無姬侍。吳玠素服飛。願與交歡。飾名姝遣之。飛曰：「主上宵旰。豈大將安樂時耶。」却不受。玠益敬服。帝欲爲飛營第。飛辭曰：「敵未滅。何以家爲。」或問天下何時太平。飛曰：「文臣不愛錢。武臣不惜死。天下太平矣。」師每休舍。課將士注坡跳濠。皆重鎧習之。卒有取民麻一縷以束芻者。立斬以徇。卒夜宿。民開門願納。無敢入者。軍號凍死不折屋。餓死不擄掠。卒有疾。躬爲調藥。諸將遠戍。遣妻問勞其家。死事者。哭之而育其孤。或以子婿其女。凡有頒犒。均給軍吏。絲毫不私。善以少擊衆。謀定而後戰。故有勝無敗猝遇敵不動故敵爲之語曰「撼山易撼岳家軍難」張俊嘗問用兵之術飛曰「仁信智勇嚴闕一不可」飛好賢禮士覽經史雅歌投壺恂恂如書生每辭官必曰「將士効力飛何功之有」然忠憤激烈議論持正不挫於人

馬革裹尸

漢馬援拜伏波將軍南擊交阯建武二十年振旅還將至故人多迎勞之平陵人孟冀名有計謀於坐賀援援曰「吾望子有善言反同衆人邪昔伏波將軍路博德開置七郡裁封數百戶今我微勞猥饗大縣功薄賞厚何以能長久乎方今匈奴烏桓尚擾北邊欲自請擊之男兒要當死於邊野以馬革裹尸還葬耳何能臥牀上死兒女子手中邪」冀曰「諒爲烈士當如此矣」

誓清中原

晉祖逖性豁蕩。不修儀檢。年十四五。未知書。諸兄每憂之。然輕財好俠。慷慨有節尚。每至田舍。輒稱兄意。散穀帛以賙貧乏。後乃博覽書記。該涉古今。與劉琨俱爲司州主簿。情好綢繆。共被同寢。中夜聞荒雞鳴。蹴琨覺曰：「此非惡聲也」。因起舞。每語世事。或中宵起坐。元帝徵爲奮威將軍。給千人。渡江。中流擊楫而誓曰：「祖逖不能清中原。而復濟者。有如大江」。辭色壯烈。衆皆慨歎。屯江陰。冶鑄兵器。得二千餘人而進。計斬塢主張平。進據太邱。戰走樊雅。遂克譙城。伐陳川。獲石勒所饋米。鎮雍邱。數敗石勒。愛人下士。雖疎交賤隸。皆禮遇之。由是黃河以南。盡爲晉土。其有微功。賞不踰日。躬自檢約。勸督農桑。克己務施。不畜產業。子弟耕耘。負擔樵薪。收葬枯骨。爲之祭醊。百姓感悅。進鎭西將軍。石勒不敢窺兵河南。使成皐縣修逖母墓。求通使交市。因而互市。收利十倍。於是公私豐贍。士馬日滋。方當埽清冀朔。病發卒。年五十六。譙梁百姓爲立祠。俎豆千秋。 晉書

苦守孤城（一）

漢耿恭。慷慨多大略。有將帥才。永平中。爲戊巳校尉。攻匈奴。引兵據疏勒城。匈奴擁絕澗水。恭於城中穿井十五丈。不得水。乃整衣向井再拜。有頃。水泉奔出。揚水以示虜。虜以爲神明。遂去。後又益兵圍之。恭食盡窮困。煑弩鎧。食其筋革。與士卒同死生。皆無二心。救至。得還。形容枯槁。鄭衆上疏曰：「耿恭以單兵守孤城。鑿山爲井。煑弩爲糧。卒全忠勇。其節義。古未有也。」拜騎都尉。東漢以來。

耿氏子孫踵歷顯仕者數十百氏。

苦守孤城（二）

唐張巡博通羣書。曉戰陣法。氣志高邁。略細節。爲眞原令。祿山反。起兵討賊。從者千餘人。令狐潮以賊四萬薄城。積六旬。大小數百戰。士帶甲食。裹創鬭。潮敗走。復率衆來圍。相守四十餘日。朝廷聲問不通。潮聞玄宗已幸蜀。復以書招巡。有大將六人。皆勸降。巡陽許諾。明日堂上設天子畫像。帥將士朝之。人人皆泣。引六將於前。責以大義。斬之。士心益勸。城中矢盡。縛藁爲人千餘。被以黑衣。夜縋城下。賊射之。得矢數十萬。後復夜縋人。賊笑不設備。乃以壯士五百斫賊營。潮軍大亂。焚壘而遁。潮慚。益兵圍之。巡使郎將雷萬春於城上與潮語。伏弩發。六矢著面不動。潮疑木人。得實乃驚曰：

「向見雷將軍知君之令嚴矣然其如天道何」巡曰「君未識人倫焉知天道」未幾出戰擒賊將十四人斬首百餘級圍四月賊常數萬巡衆纔千餘每戰輒克濟陰等皆陷賊將謀趨甯陵絕巡餉路乃拔衆保甯陵馬三百兵三千至睢陽與太守許遠城父令姚誾等合乃遣將雷萬春南霽雲等領兵戰甯陵北斬將二十殺萬餘人賊夜去至德二載安慶緒遣尹子奇將兵十餘萬攻睢陽日中二十戰氣不衰圍久食盡茶紙既盡食馬馬盡羅雀掘鼠又盡巡殺愛妾遠亦殺奴以食士圍益急衆議東奔巡遠以睢陽江淮保障棄之江淮必亡十月賊攻城士病不能戰巡西向拜曰「臣力竭矣不能全城生無以報陛下死當爲厲鬼以殺賊」遂陷俱被執衆見之起且哭巡曰「勿怖死乃命也」子奇曰「

聞公督戰。大呼。輒皆裂血面。嚼齒皆碎。何至是」曰：「吾欲氣吞逆賊。顧力屈耳」。子奇怒。以刀抉其口。齒存者三四。巡罵賊以刃脅降。不屈。又降霽雲。未應。巡呼曰：「南八。男兒死爾。不可為不義屈」。霽雲曰：「欲將有為也。公知我者。敢不死」。乃與姚闇萬春等三十六人遇害。年四十九。巡長七尺。須髯每怒盡張。讀書不過三復。終身不忘。為文章不立槀。守睢陽。士卒居人。一見問姓名。其後無不識。更潮子奇大小四百戰。斬將三十。卒十餘萬。用兵未嘗用古法。勒大將教戰。各出其意。曰：「止使兵識將意。將識士情。上下相習。人自為戰。爾械甲取之敵。未嘗自修。每戰必親臨陣。有退者。已立其所。謂曰：「我不去此。為我決戰」。士感誠。皆一當百。待人無所疑。賞罰信。與衆共甘苦。雖廝養亦整衣見之。故能以少擊衆未嘗敗馬盡及婦人老弱凡食三萬口人知將死莫有叛者遺民止四百張澹李紓董南史張建封樊晃朱巨川李翰等咸謂巡蔽遮江淮阻賊勢天下不忘其功也翰等皆名士均無異言立廟睢陽祠之　唐書忠義傳

孤城獨守

顏眞卿博學工詞章事親孝舉進士爲平原太守度祿山必反陽託霖雨增陴濬隍料丁壯儲廥廩日與賓客泛舟飲酒以紓其疑及祿山反河朔盡陷獨平原城守使參軍李平馳奏上始聞亂歎曰「河北二十四郡無一忠臣邪」及平至大喜曰「朕不識眞卿何如人所爲乃若此」

義不背誓

蜀關羽與劉玄德誓同生死。曹操進兵擊下邳困羽。使張遼說之降。羽表三約。以明己志。操從之。封羽爲漢壽亭侯。時備甘糜二夫人亦爲操所獲。操欲亂其臣主之義。使羽與二夫人共室。羽避嫌秉燭侍立至天明。袁紹遣大將顏良戰曹操。操使張遼關羽先登擊之。羽望見良麾蓋。策馬刺良於萬軍之中。斬其首而還。紹軍奪氣。初操壯羽之爲人。而察其心神無久留之意。使張遼問之。羽歎曰「吾極知曹公待我厚。然吾受劉將軍恩。誓以共死。不可背之。吾終不留。要當立效。以報曹公乃去耳。」遼以羽言報操。操義之。及斬顏良。盡封其所賜。拜書告辭。而奔劉備於袁軍。左右欲追之。操曰「彼各爲其主。勿追也。」

心如山岳

唐尉遲恭隋末歸唐。從討竇建德王世充劉黑闥等。功居多。恭善避矟。每單騎入陣。人刺之不能傷。太子嘗以書招之。贈金皿一車。固辭。秦王曰「公之心如山岳。雖積金至斗。豈能移之」上嘗謂敬德曰「人言卿反。何也」對曰「臣從陛下。身經百戰。今之存者。皆鋒鏑之餘也。天下已定。乃更疑臣反乎」因解衣投地。出其瘢痍。上流涕撫之。欲娶以女。敬德曰「臣妻雖陋。相與共貧賤久矣。臣雖不學。聞古人富不易妻。此非臣之所願也」

忠心耿耿

宋張浚。高宗時。湯思退力主和議。遣王之望使金。許割四州。浚上言曰「秦檜主和。卒成逆亮之禍。今其黨復出為惡。今若復倡和議。四海英雄。誰為陛下用哉」帝乃手詔之望等。一行禮物並回會金執行人胡昉。帝謂浚曰。「和議不成。天也。自此。事當歸一矣。」即命浚視師江淮。浚招徠忠義。增置戰船。葺治弓矢。山東豪傑願受節制。且以檄諭契丹。約爲應援。金人大懼。湯思退諷右正言尹穡論浚。浚去。猶疏勸帝務學親賢。或勸浚勿以時事爲言。浚曰。「君臣之義。無所逃於天地之間。吾荷兩朝厚恩。久居重任。今雖去國。惟望上心感悟。上如用浚。浚當即日就道。不敢以老病爲辭。」聞者聳然。

誓死抗敵

宋劉子羽知池州。以書抵宰相。論天下兵勢。與張浚密謀誅范瓊。及浚宣撫川陝。辟子羽參議軍事。官屬有建策徙治夔州者。子羽叱之曰。「孺子可斬也。四川全盛。敵欲入寇久矣。直以有棧道之險。未敢遽窺耳。』因力陳不可他徙之意。浚然子羽言。諸將無敢行者。子羽命吳玠守和尚原。分兵諸險要。金人知有備引去。後因王彥被敵所敗。遂退守三泉縣。兵不滿三百。與士卒取草芽木甲食之。遺吳玠書與之訣別。玠將楊政大呼曰：『節使不可負劉待制。不然政等亦舍節使去矣。』玠乃間道會子羽。子羽以潭毒山形斗拔。築壘守之。十六日而成。金人已至距營十數里。子羽據胡牀。坐壘口。諸將泣告曰：『此非待制坐處。』子羽曰：『吾今日死於此。』敵不敢攻。尋引去。金撒離喝遣十人持書招子羽。子羽盡斬之而留其一。縱之還。曰：『爲我語賊。欲來即來。吾有死。爾何可招也。』

馳援神速

宋吳玠少穎悟。有志節。日誦書史。凡往事可師者。錄置座右。積久墻牖皆格言。用兵本孫吳。務遠略。不求近利。御下嚴而有恩。虛心請受。雖卒伍最下者。皆得以情達。選用將佐。視勞能爲高下。不以親故權貴撓之。建炎初。以戰功累遷涇原路副總管。從秦鳳張浚承制用爲都統制。金人寇漢陽。劉子羽以驛書招玠。玠夜馳三百里赴之。以黃柑遺敵曰：『大軍遠來。聊以止渴。』撤離喝大驚。其神速。兵遂潰。與弟璘戮力協心。據險抗敵。卒保全蜀。

大義責友

晉溫嶠與陶侃共起兵討蘇峻。求糧于侃。侃不與。嶠曰：「師克在和。古之善教也。嶠與公俱受國恩。若濟則臣主同祚。如不捷當灰身以謝先帝。今事勢又無旋踵。譬如騎虎。安可中下哉。公若沮衆敗事。義旗將迴指於公矣。」侃悟。分米餉嶠。遂水陸並進。斬蘇峻于白石。

視死如歸

齊田橫故齊王榮弟。項羽破齊。復擊漢。橫乃以散兵復收齊城邑。立榮子廣爲王。而相之。及廣死。橫自立爲王。漢高帝立。橫與其徒五百餘人。入居海島中。帝使人召之曰：「橫來。大者王。小者侯。不來。且舉兵加誅。」橫因與二客乘傳詣洛陽。未至三十里。曰：「始與漢俱南面。今何北面事之。」遂自殺。帝拜其二客爲都尉。以王禮葬橫。既葬。二客皆自剄下從。餘五百人在海中者。聞橫死。皆自殺。從者爲挽歌哀之曰：「薤上露。何易晞。露晞明朝又復落。人生一去何時歸。」又云：「蒿里誰家地。聚斂精魄無賢愚。鬼伯一何相催促。人命不得少躊躇。」

斬頭不降

三國嚴顏。先主入蜀。使張飛攻巴都。獲太守嚴顏。飛呵顏曰：「大軍至。何以不降而敢拒戰。」顏怒曰：「卿等無狀。侵奪我州。我州但有斷頭將軍。無有降將軍。」飛大怒。便令武士牽去斫頭。顏不變色曰：「斫頭便斫。何爲怒邪。」飛壯而釋之。禮之上賓。

苦戰而死（一）

陳寅以父恩補官。紹定初。知西和州。散貲財以結忠義。爲必守之計。北兵十萬攻城。寅率民兵晝夜苦戰。援兵不至。城陷。寅顧其妻杜曰：「若速自爲計。」杜曰：「安有生同君祿。死不共王事者。」即自飲藥。二子俱死。母傍。乃朝服登戰樓。望闕焚香再拜。伏劍而

死。宋史

苦戰而死（二）

明周將軍遇吉幼失父事母至孝。冬溫夏凊。晨省昏定。莫不竭力盡志。母嘗有病。時刻奉湯藥。衣不解帶。目不交睫。母憫其勞。詐云已愈。命息燈歸寢。母方輾轉。已左右扶持。實未嘗去也。母撫其背曰。「兒今日爲孝子。他日必爲忠臣。爾父有子矣。」待諸兄弟尤極友愛。事必身先。美不獨擅。崇正時。天下荒亂。盜賊羣起。遇吉應將材科。効力戎行。每戰奮不顧身。所向有功。累陞代州總鎮。修城垣。明軍法。整器械。練士卒。不遑寢食。崇正十七年。二月。賊犯代州。遇吉力戰。殺賊萬餘。兵少食盡。乃退守甯武關。賊復薄城。傳檄五日不下。寸草不留。遇吉悉力拒守。發大炮擊賊。殺萬人。會火藥盡。

遇吉悉兵出戰。斬賊數千級。自成懼。欲退。羣賊曰：「我衆百倍於彼。但用十攻一。更翻疊戰。蔑不勝矣」。自成從之。引兵復進。脫帽以自別。官軍且盡。遇吉自揣不支。歸跪其母前痛哭。母曰：「此乾坤何等時。爾尚歸家作楚囚態」。遇吉曰：「兒稍刻卽捨身報國。惟母難捨」。母怒曰：「殺身成仁。方爲烈丈夫。馬革裹尸。纔是奇男子。爾爲忠臣。我得爲忠臣之母。流芳千古。見爾父於地下。長笑無恨矣」。麾遇吉出。時兵盡城陷。遇吉巷戰。馬蹶。徒步跳蕩。手格殺數十人。身被矢如蝟。竟爲賊執。大罵不屈。賊懸之竿。叢射殺之。復臠其肉。夫人劉氏。素勇健。時一子侍側。夫人曰：「吾欲使爾回籍。延爾父一脈」。子曰：「父死。忠。母死。節。子死。孝。將安往」。夫人遂命家將樓下備柴薪。上加火藥。乃率婦女數十人。據山巔公廨。

登屋而射。每一矢斃一賊。賊不敢逼。會矢又盡。夫人登樓。命賈姓幕賓舉火合室自焚。賈亦躍入火中同燼。自成嘗語人曰：「他鎮復有一周將軍。吾安得逞其志。」

死不負國

晉桓彝爲宣城內史。蘇峻反。彝起兵赴難。長史裨惠以郡兵寡弱。宜按甲以待。彝厲聲曰：「見無禮於其君者。猶鷹鸇之逐鳥雀。今社稷危逼。義無宴安。」遂進屯蕪湖。峻陷建康。彝進兵涇縣。裨惠勸彝與峻通使。彝斥之曰：「吾受國恩。義在致死。豈可與賊通問。」遂遣俞縱守蘭石。韓晃攻之。將敗。或勸退軍。縱曰：「吾受桓侯厚恩。當以死報之。吾之不可負桓侯。猶桓侯之不負國也。」遂力戰而死。晃攻城。城陷。彝守節而死。

死而後已

宋張世傑奉召入衛。元兵至皐亭山。遣使說降世傑。世傑斬其使。及衛帝駐厓山。元將張弘範襲之。世傑力戰。弘範無如之何。時世傑有甥韓某在元軍中。弘範三使韓招世傑。世傑不從。曰：「吾知降生且富貴。但義不可移爾。」因歷數古忠臣以答之。帥蘇義方興等朝夕大戰。會日暮風雨昏霧。四塞咫尺不相辨。陸秀夫負帝投水死。世傑以小舟奉楊太后脫去。太后聞帝崩。以趙氏已盡。亦赴海死。世傑葬之海濱。將趨占城。土豪强之還廣東。乃回舟艤南恩之海陵山。散潰稍集。謀入廣。颶風大作。將士勸世傑登岸。世傑曰：「無以爲也。」登柁樓露香祝曰：「我爲趙氏亦已至矣。一君亡。復立一君。今又亡。我未死者。庶幾敵兵退。再立趙氏以有祀耳。今若此。豈天意邪。」仰天呼曰：「天不欲存趙祀。則風覆吾舟。」舟遂覆。世傑溺死。宋亡。

死節不屈（一）

姚洪爲唐指揮使。將兵戍閬州。兩川節度使董璋反。密遣人以書招洪。洪投諸廁。城陷。璋執洪。讓之曰：「爾爲健兒。我遇汝厚。奈何負我耶。」洪罵曰：「老賊汝昔爲李氏奴。掃馬糞。得一臠殘炙。感恩不已。今天子用汝爲節使。何負於汝。而反耶。汝猶負天子。吾受汝何恩。而云相負哉。吾竊爲天子死。不能與人奴並生。」璋怒。然鑊於前。令壯士十人。刲其肉而食。洪至死。罵不絕聲。明宗聞之泣下。錄其二子。而厚恤其家。

死節不屈（二）

宋文天祥募兵勤王。挾二王入閩廣。兵敗被執。遂拘燕三年。坐臥一小樓足不履地。元主聞其賢。一日乃召天祥入殿中。公長揖不拜。元主問曰：「汝欲何言。」天祥曰：「我大宋以堯舜之道平一天下。北朝以遐陬之國。殘擾中原。滅我宋之宗廟。欺人孤寡。萬世之恥也。吾英雄無用武之地。不能復興。」言訖頓足。元主喻曰：「天之所廢。非人力可爲。朕承天眷命。誠非偶然。汝以忠宋之心事我。我以汝居丞相位何如。」公對曰：「吾受宋恩甚厚。惟思盡忠而已。豈有事二姓之理。宋室既亡。願賜一死足矣。」元主不忍遽麾之使退。左右力贊。乃詔有司殺于燕京柴市。俄有詔止之。至則死矣。臨刑顏色自若。且行且歌曰：「我爲忠烈大丈夫。詩書禮義聖賢徒。竭心罄志匡扶國。如何天假此强胡。」謂吏卒曰：「吾事畢矣』南向再拜而死年四十七其衣帶中有贊曰「孔曰成仁孟曰取義惟其義盡所以仁至讀聖賢書所學何事而今而後庶幾無愧』元主臨朝歎曰「文丞相眞男子本朝將相皆不可及誠可惜也』數日其妻歐陽氏收其屍面如生觀者無不流涕

死節不屈（三）

明許逵初爲樂陵知縣値劉六猖獗他邑或潛餽賊或避賊去逵獨募死士持巨挺擊却之以功陞僉事又陞江西副史寧王宸濠謀反奸徒皆蓄外心與之結交公隨事駁之且陰剪其黨及濠反知公才欲用之公大罵曰「許逵非事君而二心者死不從汝也」賊怒殺之後贈禮部尙書立祠

忠義薄天

明史可法短小精悍。面黑。目爍爍有光。廉信。與下均勞苦。軍行。士不飽不先食。未授衣不先御。以故得士死力。京師陷。可法請頒討賊詔書「言自三月以來。大讎在目。一矢未加。昔晉之東也。其君臣日圖中原。而僅保江左。宋之南也。其君臣盡力楚蜀。而僅保臨安。蓋偏安者。恢復之退步。未有志在偏安。而遽能自立者也。大變之初。黔黎洒泣。紳士悲哀。猶有朝氣。今則兵驕餉絀。文恬武嬉。頓成暮氣矣。河上之防。百未經理。人心不肅。威令不行。復讎之師。不聞及關陝。討賊之詔。不聞達燕齊。君父之讎。置諸膜外。夫我即卑宮菲飲。嘗膽臥薪。聚才智精神。枕戈待旦。合方州物力。破釜沈舟。尚虞無救。臣觀朝廷謀畫。百執事經營。殊未盡然。夫將所以能克敵者。氣也。君所以能御將者。志也。夏少康不忘出竇之辱。漢光武不忘爇薪之時。臣願陛下爲少康光武。不願左右在位。僅以晉元宋高之說進也。先皇帝死於賊。恭皇帝亦死於賊。此千古未有之痛也。在北諸臣死節者無多。在南諸臣討賊者復少。此千古未有之恥也。庶民之家。父兄被殺。尙思穴胸斷脰。得而甘心。況在朝廷。顧可漠置。臣願陛下速發討賊之詔。責臣與諸鎭。悉簡精銳。直指秦關。縣上爵以待有功。假便宜而責成效。絲綸之布。痛切淋漓。庶海內忠臣義士。聞而感憤也。國家遭此大變。陛下嗣登大寶。與先朝不同。諸臣但有罪之當誅。曾無功之足錄。今恩外加恩未已。武臣腰玉。名器濫觴。自後宜愼重。務以爵祿待有功。庶幾猛將武夫有所激厲。兵行最苦。無糧。搜括既不可行。勸輸亦難爲繼。請將不急之工程。可已之繁費。朝夕之燕會。左右之進獻。一切報罷。即事闕典禮。亦宜概從節省。蓋賊一日未滅。卽有深宮曲房。錦衣玉食。豈能安享。必刻刻在報讎雪恥。振舉朝之精神。萃萬方之物力。盡并於選將練兵一事。庶人心可鼓。天意可回。」可法每繕疏。循環諷誦。聲淚俱下。聞者無不感泣。清兵已下邳宿。可法飛章報而諸鎭逡巡無進師意。且數相攻。可法流涕頓足嘆曰：「中原不可爲矣。」可法還揚州。未至。得功來襲興平軍。城中大懼。可法遣官講解。乃引去。時清兵已取山東河南北。逼淮南。可法移軍駐泗洲。護祖陵。將行。左良玉稱兵犯闕。召可法入援。可法趨天長。檄諸將救盱眙。俄報盱眙已降。可法一日夜奔還揚州。訛傳定國兵將至。殲高氏部曲。城中人悉斬關出。舟楫一空。可法檄各鎭兵。無一至者。清兵大至。屯班竹園。總兵李棲鳳監軍副使高岐鳳拔營出降。城中勢僉單。諸文武分陣拒守。舊城西門險要。可法自守之。作書寄母妻。且曰：『死葬我高皇帝陵側。』越二日。清兵薄城下。礮擊城西北隅。城遂破。可法自刎不殊。一參將擁之出小東門。遂被執。可法大呼曰：『我史督師也。』遂被殺。

第二篇　仁德類

秋毫無犯（一）

唐李晟幼孤。事母孝。累遷神策都將。魏博反。爲神策先鋒。帝出奉天。即日治裝。曰：『天子播越。人臣當百舍一息。』所過樵蘇無犯。累進兵馬副元帥。家百口及軍士家。皆在長安。朱泚善遇之。軍中有言及家者。泣曰：『天子何在。敢言家乎。』泚使晟親近以家書遺之。曰：「公家無恙。」晟怒曰：「爾敢爲賊問。」立斬之。盛夏有衣裘著。能與下同其苦。以忠義感發士心。無攜。恢復長安。時令諸軍曰：「晟賴將士之力。克清宮禁。長安士庶久陷賊庭。若小有震驚。非弔民伐罪之意。五日內通家問者斬。」分慰居人。秋毫無所擾。別將高明曜取賊妓。一司馬伷取賊馬二。即斬以徇。

秋毫無犯（二）

宋劉勔爲寧朔將軍。殷琰叛。勔率兵討之。圍壽陽。琰降。勔約三軍。不得妄動。城內士民秋毫無所失。百姓感悅。咸曰：「來蘇」。生爲立碑。子孫均貴盛。

却金不取

英名將威靈頓之在印度也。屢建偉勳。爲國理財。貲如山積。然己無一法成（英國最小銅錢之名）之蓄其歸英國也衣裘茵袵外別無他物當征服彌索爾時東印度公司主事某感其德贈威氏十萬金磅威氏却之曰「吾爲保全吾自主之品行及吾官職之聲名非義之財不可受也吾日夜所思念者惟士卒耳若吾多取則剛勇之士卒所得者必少減尅士卒之物吾心甚痛之」那比爾亦有功印度之戰蠻夷大長頻以金玉珍寶來相遺贈那比爾悉反之誓不染絲毫嘗曰「使予欲富則自至印度以來可致三萬金磅矣恐汚吾手故不取也且予大戰二次佩慈父之劍今猶不忍汚之而謂吾敢苟得乎」嗚呼如二子者可謂淸矣

民不苦兵

明徐達少有大志剛毅武勇太祖爲郭子興部將達往從之一見

語合。太祖身居守而命達爲大將。號令明肅。身先諸將。太祖議征吳。右相李善長請緩之。達曰：「張氏汰而苛。大將李伯昇輩徒擁子女玉帛。易與耳。用事黃蔡葉三參軍。書生不知大計。臣奉主上威德。以大軍躡之。三吳可計日定。」太祖大悅。拜達大將軍。以常遇春爲副帥。舟師二十萬薄湖州。敵三軍出戰。達分三軍應之。別遣兵扼其歸路。敵戰敗。不得入城。還戰大破之。士誠築五寨自固。達使遇春等爲十壘以困之。士誠走湖州降。遂進圍平江。與諸將分軍各門。築長圍困之。城中大震。達遣使請事。太祖勅勞之曰：「將軍謀勇絕倫。故能遏亂略。削羣雄。今事必稟。此將軍之忠。吾甚嘉之。然將在外。君不御。軍中緩急。將軍便宜行之。吾不中制。」既而平江破。執士誠。傳送應天。城之將破也。達令將士曰：「掠民財者死毀民居者死離營二十里者死』吳人安堵如故達言儁慮精在軍令出不二諸將奉持凜凜而帝前恭謹如不能言善拊循與下同甘苦士無不感恩效死以故所向克捷尤嚴戢部伍所平大都二省會三郡邑百數閭井晏然民不苦兵歸朝之日單車就舍延禮儒生談議終日雍雍如也帝嘗稱之曰「受命而出成功而旋不矜不伐婦女無所愛財寶無所取中正無疵昭明乎日月將軍一人而已」

不侵敵糧

晉羊祜爲荆州都督營出軍行吳地刈穀爲糧皆計所侵送絹償之遊獵常止晉地禽獸先爲吳人所傷而爲晉兵所得者皆封還之吳人悅服稱爲羊公不之名也卒于役次南州人聞祜喪莫不

號痛。罷市巷哭者聲相接。吳守邊將士。亦爲之泣。百姓爲之建碑立廟。望其碑者莫不流涕。因名「墮淚碑」

敵國信仰

英名將威靈頓所過城邑必償其費用雖或一錢無攘取他人之產業。西班之兵欲搶掠貨物。威靈頓責其軍官。不聽其言則悉命西班之軍返國。威靈頓之軍不失禮義。至爲敵國人民所信。法國農民有攜其貨物。逃至軍寨請保護者。

不取財貨

五代時薛仁謙隨莊宗入汴。有舊第。爲梁朝六宅使李賓所據。時賓遠適。而仁謙復得其第。或告云「賓之家屬厚藏金帛在其第內」仁謙立命賓親族盡出所藏而後入焉。論者美之。

不妄殺一人

宋曹彬奉命下江南圍城中每緩師不迫冀李煜歸服又使人諭之曰『事勢如此所惜者一城生聚皆能歸命策之上也』城垂克彬忽稱疾不視事諸將皆來問疾彬曰余之疾非藥石所能愈惟須諸公誠心自誓以克城之日不妄殺一人則自愈矣諸衆許諾焚香爲誓翼日城下煜詣軍門降彬待以賓禮彬淸介廉謹仁敬和厚有功不伐位兼將相不以等威自異爲時良將第一子孫榮顯累世不絕

不枉殺一人

漢鄧禹爲將軍時赤眉所過殘賊禹師有紀所至輙停車勞來之父老童稚感悅滿車下禹常曰『吾將百萬之衆未嘗枉殺一人

後世必有興者。

不忍多馘

許進爲都御史，冒雪夜行一千里，以擣哈密，得遺種八百人。將校以爲封侯可得，進曰：「行師之道，期在綏安耳，吾安忍以多馘爲功，且此屬窮而請命，殺之逆天，逆天者無後。」八百人皆不死。公三子皆秩爵尚書。

不嗜殺人

宋張淇知江陰軍，吏盜錢三百萬，二十年矣。淇發其事，捕繫數十人，轉運使趙廓謂曰：「此應賞典，可窮諸盜錢吏，吾以聞於朝。」淇慘然曰：「殺人以求賞，可乎？」悉召諸吏諭：「以償錢則赦罪，不然死矣。」吏親屬聞之，爭出錢以償，十日而足，乃推同盜錢二一人已死者爲首。餘悉不問。廓愧而歎曰：「公長者。非吾所及也。」不求虛譽。陰德實深。兕由此得名。其名乃眞頌德者。百世不泯。豈沽買之可致哉。張淇之德固大。及觀其處置事宜。尤爲得體。

保全無算

淸阮芸臺儀徵人。其封翁有昭勇將軍者。名玉堂。字琢庵。以武進士隨征湖南叛苗。身先士卒。累戰皆捷。會總督張廣泗檄公進剿南山大箐屯賊。率奇兵由間道攀籐越嶺而入。遂大捷。餘黨八百戶退據南嶺。糧盡出降。總督慮賊詐。不允。公力辨其誠。以死任之。保全無算。後又進勦橫坡。搜獲男婦數千人。總督欲盡誅之。公再四諫阻。不從。不得已乃請曰：「壯丁能執兵抗拒者戮之。婦女及男十六歲以下者必定宥免。」所活又無算。九谿有北山。周數十里向爲兵民所仰給。有明季指揮豪姓子孫。訟爲祖傳舊地。委官勘訊。幾爲所奪矣。公慨然入省垣。力陳於大府之前曰：「地卽豪姓地。亦前代事。今久爲數萬家葬塋樵牧之利。一旦奪之以歸一家。如數萬家何。」大府乃省悟。此非武弁分內事。而公能冒不韙爭之。卒得挽回。其利民之事類如此。公身僅以游擊終。後以孫貴享八座之祀。膺一品之封。其食報也大矣。

全活萬人

明正統間。鄧茂七倡亂於福建。士民從賊者甚衆。朝廷起鄞縣張都憲楷南征。以計擒賊。後委布政司謝都事搜殺東路賊黨。謝求賊中黨附册籍。凡不附賊者。密授以白布小旗。約兵至日插旗門首。戒軍兵無妄殺。全活萬人。後謝之子遷中狀元。爲宰輔。孫丕復中探花。

所至全活

劉秉忠從元世祖征雲南每贊以天地好生王者神武不殺故克城之日不妄戮一人已未從伐宋復力贊於上所至全活不可勝計。

焚籍不究

石皐爲郡吏廉潔自持稱爲長者從魯王闍母攻青州州人堅守不降闍母怒之及城破命皐計州民人數將使諸軍分掠有之皐綏其事闍母讓之皐曰「大王將爲朝廷撫定郡縣當使百姓安堵若取城邑而殘其民則未下者必死守以拒我」闍母感悟乃下令曰「敢有犯州人者以軍法論」指其坐謂曰「汝之子孫

必有居此坐者。」皐隨守定州。唐縣人王八謀爲亂。書其縣人姓名於籍無慮數千人。其黨持其籍詣州發之。皐立鞫治時冬月。皐抱籍上廳事佯爲頓仆。覆其籍爐火中盡焚之。止坐爲首者。餘皆得釋。

俘虜悉縱

劉伯林好任俠善騎射。充西京留守。兼兵馬副元帥。從大軍攻山東諸州。破潞澤及火山聞喜諸州。時論欲徙聞喜民實天成。伯林以北地喪亂。人艱於食。力爭止之。部曲所獲俘虜萬計。悉縱之。在威甯十餘年。務農積穀。與民休息。稱爲樂土。嘗曰：「吾聞活千人者。後必封。吾之所活。何啻萬餘人。子孫必有興者乎。」辛巳以疾卒。年七十二。

厚待俘虜

英法配甯休拉之役。法將名內者督兵戰。遂克之。英將那比爾創甚。爲法所擒。那氏之親朋。不知其死生存亡也。甚憂之。乃令使者自英乘舟往詢那氏之事。既抵法。爲格洛壹所接見。報之於內。內曰：「可使四人晤其友。且語以四人之無恙而善遇之。」格洛壹猶躊躇不決。內笑問曰：「四人所望者在此矣。豈猶有他望乎。」格洛壹曰：「彼尚有老母也。」內曰：「彼有老母乎。令其歸省。斯已矣。」乃釋那比爾而歸。當是時。英法兩國尚無互還俘馘之法。內乃毅然爲之。及拿破崙聞此事。非惟不出一惡言。且褒其行之優焉。

盡放擄婦

章景綸性好善。見前人嘉言懿行。必恭敬而奉行之。元兵南侵。擄婦女千名。閉菩提寺中。撥社長李德揚看管。李亦善人。嘗謂章曰：「此中所閉者。皆宦室嬌姿。名門淑質。一經隨兵遠去。必殞香異地。埋玉他鄉。殊甚憫惻。吾欲盡放之。柰有老母在堂。誠恐累及。是以不敢。」章慨然曰：「我係隻身。君但易我名。此事我為之。設有禍起。斬戮自甘。不以相扳也。」李察其誠。稟明有司。易章看管。章通知衆女。預為準備。至夜。開門盡放之。縱火燒寺。束身待罪。後兵囘。主帥下令。不許帶婦女。章遂得疏釋。後娶妻。連生五子。每念疇昔放女事。幾罹殺身之禍。看破世情。削髮為僧。募化重建菩提寺。圓寂之日。聚大衆說偈曰：「積德行仁。何須人見。萬理同圓。毫無虧欠。老僧在世無他。只是樂人之善。」合掌而逝。已成佛矣。五子俱登科甲。

悉縱俘婦

明末江南某公落魄。値大兵南至。寄投旄下。軍中虜孕婦數人。俟暇日剖腹爲戲。突奉帥令他往。閉婦於一樓。命公守之。公夜飲樓中。諸婦求生。推一最麗者就公。公哀之。悉縱去。隨焚其樓。軍還。公紿曰「諸婦不戒於火。俱燬矣。」後公歸娶。多子。貴甲一省。

悉遣俘女

晉李矩。元帝時領平陽守時。飢饉疫癘。矩悉心撫恤。百姓賴焉。會長安羣賊東下。矩擊破之。得賊所掠婦女千餘人。諸將以非矩所部。欲留之。矩曰「俱是大家臣妾。焉有彼此。」卽遣之。如李公者可謂深明大體矣。

悉還掠女

唐張萬福。魏州人。爲劉展部將。租賦爲盜所奪。萬福領輕兵襲賊。盡得所亡。并先掠人妻女財畜萬計。盡還其家。不能自致者。給船車以遣。累拜泗州刺史。魏飢。父子相賣。萬福曰「吾鄉里安忍其困」。令兄子將米百車餽之。贖自賣。給資遣之。年九十。涖凡九州。皆有惠愛。食祿七十年。未嘗一日言病。唐書

悉放俘女

唐李大亮初破輔公佐。以功賜奴婢百口。皆擒得及籍沒良家子女。大亮曰「爾等皆衣冠子女。不幸破亡。吾何忍錄爲下賤乎」。悉放之。資以路費。使還家。高祖聞而嘉美之。賞賜甚厚。

矜撫俘女

北史。魏蘭根為岐州刺史。蕭寶寅破宛川。俘美女十人。賞蘭根。根曰：「此縣界于強寇。故埘从以救死。官軍至宜矜而撫之。奈何助賊為虐乎」。悉求其父母而歸之。後封侯。子孫世襲爵。

不犯俘女

宋程彥賓進攻遂寧城。下之日。左右以三處女獻。俱有姿色。時公方醉。謂女子曰：「汝猶吾女。安敢相犯」。因閉一室。及旦訪其父母還之。皆泣謝曰：「願太尉早建旄節」。彥賓曰：「旄節非所望。但臨死無病卻好也」。其後官至觀察使。年九十七無病卒。諸子皆為顯官。

不殺不淫

金光前正黃旗養子也。起身戎伍。目不識字。然見善必為。所歷之處不妄殺一人，不淫一婦，不擄一物，不燒一屋，凡遇迷失子女，悉遣歸家。妻龔氏識字誦經。順治癸巳冬，隨征福建，道出武林，聞具德老和尚說法靈隱，同妻參問。具德升座開示云：「汝兩人但修淨土，便悟無生，不必舍耒而求耜。」自此覺念佛有得。辛丑夏，旋師駐馬錢塘。忽有疾，龔欲延醫，光前止之曰：「我昔與汝同叩靈隱，今正欲作轉身計，求老和尚證明耳，何以藥為？」龔笑曰：「不意金光前亦到此地位，妾當與君偕行。稍遲數日，為君畢後事，妾隨至矣。」光前聞之，即合掌而逝。龔命造二棺，遣使至靈隱求為秉炬。料理畢，便屏絕飲食，沐浴更衣，一心念佛者七晝夜。日將晡，覺異香滿室，空中有音樂聲曰：「時至矣。」端坐念佛而化。

捨身救人

吳吾粲為參軍。以舟師拒魏將曹休。值大風。船綆斷絕。或覆沒。存者攀援號呼。他船恐傾沒。皆以戈矛撞擊。不受。粲令船人承取之。左右以為船重必敗。粲曰：「船敗。當俱死耳。人窮。奈何棄之」所活百餘人。後遷會稽太守。

寬宏能忍

漢韓信貧甚。釣于城下。漂母憐而飯信。信曰：「吾必有以重報母。」母怒曰：「大丈夫不能自食。吾哀王孫而進食。豈望報乎」又嘗見辱於途。中少年曰：「子每好帶劍。能死。刺我。不能。出我胯下。」信俛首蒲伏。出其胯下。市人皆笑信為怯。及項梁渡淮。信仗劍從之。信數以策干羽。羽不能用。從間道歸漢。滕公薦于漢王。以為治粟都尉。蕭何與語。奇之。漢王未及重用。信亡去。何自策騎追之。

及還薦信于王曰：「諸將易得至如信者國士無雙王必欲爭天下宜設壇具禮拜信」王從之信既受命引兵從故道出襲雍定三秦擒魏取代仆趙脅燕破楚下齊立為齊王將兵會垓下漢取天下大抵皆信之功後徙為楚王信至楚召漂母酬以千金召辱己少年以為中尉告諸將曰：「此壯士也方辱我時寧不能殺之耶」

不計私憾

魏李典武帝使與張遼樂進攻合肥孫權率衆圍之典進與遼皆素不睦遼欲出或恐典不從典慨然曰：「此國家大事吾豈可以私憾而忘公義也」乃與遼破走權典好學問貴儒雅不與諸將爭功敬賢士大夫恂恂若不及軍中稱其長者

不懷私忿

安思順爲朔方節度使時。郭汾陽李臨淮俱爲牙門都將。二人不相能。雖同盤飲食。常睇相視。不交一言。及汾陽代思順。臨淮初欲亡。去既而入請曰：「一死固甘。乞免妻子。」汾陽趨下。持手上堂曰：「今國亂主遷。非公不能東伐。豈懷私忿時耶。」及別。執手涕泣。相勉以忠義。卒平劇盜。實二公之力。　唐書東夷新羅傳贊

奉公寬恕

宋溫州參將郭承恩奉公寬恕。司法元珍殘忍刻薄。時同考滿入都。共買舟行。將抵紹興界。風濤大作。人皆見神鑿舟爲兩截。承恩居前艙。無恙抵岸。元珍居後艙。竟沈溺焉。

待兵寬厚（一）

裴行儉爲將帥所引偏裨後多爲名將破阿史那都支得馬腦盤廣二尺餘以示將士軍士捧以升階跌而碎之惶恐叩頭流血行儉笑曰：「爾非故爲何至於是」不復有追悔之色詔賜以都支資產金器二千並分給親故偏裨數日而盡。唐通鑑綱目

待兵寬厚（二）

韓琦帥武定時嘗夜作書令一兵持燭於旁兵偶他顧燭然公鬚公但以袖拂鬚而作書如故少頃回視則已別易一兵公恐主吏鞭之急呼還曰：「勿易渠今已解持燭矣」一卒有私逃顧母數日始至者法當斬卒告曰：「母老病久近在數舍間常恐不復見誠知擅去必死冀得一見死無恨耳」公惻然核得其實卽以便宜釋之軍中無不感泣。

待下寬厚

郇子鈞浦城人也。仕閩王審知。守建州。領兵拒南唐。遣邊鎬王建封求救。二人失期當斬。郇意未決。夫人練氏曰「既惜其才。何不從寬」。密令遠遁。復使諸子遺之以金。二人遂奔江南。後南唐命查文徽攻建州。二人已貴。從行。城陷。議屠之。時子鈞卒。練氏猶存。二人入城。厚遺練氏金帛。且授一白旗曰「植此於門。可保無虞」。練氏舉金帛并旗反之曰「妾家雖免死。建民何罪。非盡赦建民。妾不獨生」。二人請之。一城皆免。練氏後封越國夫人。子十五人。親出者八。孫六十人。皆貴。曾孫位卿相者相踵。

折節禮士

漢皇甫嵩少有文武志。好詩書。習弓馬。靈帝時爲北地太守。以破黃巾功領冀州牧威名震天下折節禮士豪傑爭附之時號名將初與中郎將朱儁合兵進討張角兄弟斬首數萬級賊黨悉擒嵩奏免冀郡一年田租以贍饑者百姓歌曰「天下大亂兮市爲墟母不保子兮妻失夫賴得皇甫兮復安居」

謙恭下士

宋符彥卿爲將有謀善戰能謙恭下士所得賞賜悉分給士卒故人樂爲之用。

讓功不居（一）

漢馮異通左氏春秋孫子兵法事光武爲主簿光武徇河北值王郎兵起乃馳至饒陽蕪蔞亭天寒衆饑異進豆粥至南宮又進麥飯異爲人謙退諸將論功異獨坐大樹下軍中號爲大樹將軍破

赤眉帝降璽書勞之曰：「始雖垂翅回谿。終能奮翼澠池。可謂失之東隅。收之桑榆。」

讓功不居（二）

漢皇甫嵩舉孝廉茂才。鉅鹿張角等起。皆著黃巾。旬日之間。天下嚮應。召羣臣會議。嵩以爲宜解黨禁。速出中藏錢。西園廄馬。以班軍士。帝從之。以嵩爲左中郎將。持節與右中郎將朱儁合四萬人。嵩儁各統一軍。共討潁川汝南陳國諸賊。悉破平之。嵩乃上言其狀。而以功歸儁。

棄己讓人

亞伯格倫比英之大將也。亞蒲愷兒之戰。受創殊重。兵士舁諸舟中調養之。且持兵士所用之枕以獻之。亞氏問曰：「斯何物乎」

答之曰：「枕也。」亞氏强起曰：「異哉。胡爲乎來哉。」曰：「此爲某步兵之枕也。」亞氏曰：「不可。吾寧忍痛苦而不奪他人物也。「亟歸之。」又有悉德尼者。亦英將。奉命助荷蘭與西班牙戰。被創血流不止。且渴甚。求水以飲之。兵士遍尋不得。既而幸得一杯之水。乃捧之以獻。時適有一老卒。亦負重傷。臥悉氏之側。注視杯水。悉氏見之。悟其意。不肯飲。謂左右曰：「取此水與老卒飲之。彼之渴。尤過於吾也。」故查丹曰：「君子棄己而讓人。損己而利人。」信然。

折節爲善

山右伍千觔生有勇力。以拳棒雄一鄉。一言不合。即毆人幾死。或奪物不償。或借貸不楚。種種橫暴。人皆畏之。一日天暑。上城樓乘涼。有數人先在。見伍來。皆走避。獨一老人。端坐不理。伍盛氣謂之曰：「衆人皆去。而翁獨坐。將謂我拳脚不利乎。」老人曰：「甚哉。子之迷而不悟也。父母十月懷胎。三年提抱。望爾成立。爲朝廷建功立業。上而榮及祖宗。下而封妻蔭子。爾負不世之才。甘心下流。不但國家少一可用之人。爾之父母。亦抱恨九泉矣。惜哉惜哉。」伍慚愧流汗曰：「世以凶人目我。我故以凶人自待。今聞翁好言。如聽晨鐘。不覺猛省。但我不齒於人久矣。月缺難圓。縱使改悔。能入正人之列乎。」翁曰：「屠子放刀。立地成佛。子果同心向上。且將爲聖爲賢。封侯拜將。著史册而勒旂常。豈獨爲正人耶。」伍拜伏受教。自是改行。折節投入營伍。累陞副帥。

一仁一暴

宋田況祖沒於契丹。父延昭景德中脫歸。契丹寇澶州。略得數百人以屬延昭。延昭哀之。悉縱去。因自脫歸中國。延昭生八男。多知名。況長子也。保州之役。況阬殺降卒數百人。卒無子。宋史

第三篇　謀勇類

奇策制勝(一)

齊田單爲臨淄市掾。燕伐齊。盡降齊城。惟莒。卽墨不下。卽墨人以其智立爲將軍。拒燕。單乃收城中千餘牛。衣以絳繒。畫文豹。又束刃于角。縛葦於尾。灌脂于葦。夜鑿城數十穴。燃葦端。以壯士五千人隨其後。尾熱。牛怒奔。觸燕師。燕師大敗。盡復齊七十餘城。迎襄王於莒而立之。封單爲安平君。

奇策制勝（二）

宋張齊賢知陳州。契丹侵寇。齊賢遣使期潘美。美使人報云「師至柏舉得密詔不許出戰」齊賢曰：「寇知美之來而不知其退」乃夜發兵二百人。持一幟。負一束芻。距三十里。列幟燃芻。契丹兵見火光中有旗幟。大駭。以謂援師至。夜遁。齊賢先伏步卒於前掩擊。大破之。帝手詔褒嘉。未幾召入為相。

奇策制勝（三）

宋劉錡為隴右都護。與夏人戰。屢勝。夏人兒啼。輒怖之曰：「劉都護來」。充東京副留守。所部軍纔三萬七千人。破金人數十萬衆于順昌。時金兵益盛。錡乃移砦于東村。遣驍將閻克募壯士夜斫其營。是夕天欲雨。電光四起。見辮髮者輒殲之。金兵退十五里。錡復幕百人以往。或請銜枚。錡笑曰：「無以枚也。」命折竹爲嘂。如市井兒以爲戲者。人持一。以爲號。直犯金營。電所燭則皆奮擊。電止則匿不動。敵衆大亂。聞吹嘂聲。卽聚。金人益不能測。終夜自戰。積屍盈野。兀朮在汴。索靴上馬。不七日至順昌。錡會諸將問策。衆請具舟全師而歸。錡曰：「朝廷養兵。正爲緩急之用。吾軍一動。彼躡其後。則前功盡廢。使敵侵軼兩淮。震驚江浙。則平生報國之志。反成誤國之罪。」衆皆感動曰：「唯太尉命。」錡募得曹成等二人。諭之曰：「遣汝作間。事捷重賞。第如我言。敵必不汝殺。今置汝騎中。遇敵則佯墜馬。爲敵所得。敵帥問我何如人。則曰：『太平邊佛子。喜聲伎。朝廷以兩國講和。使守東京。圖逸樂。』」已二人佯被執。如言對兀朮。兀朮至城下。錡遣耿訓以書約戰。兀朮怒。錡曰：「

劉錡何敢與我戰。以吾力破爾城。直用靴尖趯倒耳。』訓曰：「太尉非但請與太子戰。且謂太子必不敢濟河。願獻浮橋五所濟而大戰。兀朮曰：『諾。』錡翌明。果爲五浮橋於潁河上。敵由之以濟。錡遣人毒潁上流及草中。戒軍士雖渴死。毋得飲於河。敵人馬饑渴。食水草。輒病。錡出奇兵。大破之。時洪皓在金。密奏順昌之捷。金人震恐喪魄。燕之重寶珍器。悉徙而北。意欲捐燕以南棄之。故議者謂是時諸將協心。分路追討。則兀朮可擒。汴京可復。而王師亟還。自失機會。良可惜也。

以計破敵（一）

魏王濬博涉墳典。恢廓有大志。嘗起宅。開門前路廣數十步。曰：「吾欲使容長戟大旛」。衆皆笑之。後爲羊祜參軍。祜深知其才。嘗曰：「濬有大才。將欲濟其所欲。必可用也。」武帝欲伐吳。使濬治戰艦。時朝議未定。濬上疏曰：『臣作船七年。日有朽敗。今臣年七十。死亡無日。願陛下無失事機。』帝納之。濬發自成都。吳人於江磧要害處。以鐵鎖橫截。又作鐵錐長丈餘。置江中。以拒舟艦。濬乃作大筏數十萬。縛草為人。被甲持杖。令善水者以筏先行。筏遇錐。輒著去。又作火炬。灌以麻油。遇鎖。輒燒之。須臾融液斷絕。於是船無所礙。濬直抵石頭。孫皓輿櫬出降。

以計破敵（二）

宋王德以武勇應募。金人入寇。德領十六騎。徑入隆德府治。執僞守姚太師。左右驚擾。德手殺數十百人。遂械姚獻于朝。欽宗問狀。姚曰：『臣就縛時。止見一夜叉。』遂呼德為王夜叉。與秀州水賊邵青戰于崇明沙。親執旗麾兵拔柵以入。青軍大潰。他日餘黨復索戰。諜言將用火牛。德笑曰：『是古法。可一不可再。今不知變。此成擒耳。』先命合軍持滿。陳始交。萬矢齊發。牛皆反奔。賊盡殲焉。

開門却敵

趙雲與曹操爭漢中。運米北山。黃忠以爲可取。雲兵隨忠取米。忠過期不還。雲將數十騎迎忠。値曹操揚兵大出。雲爲操前鋒所擊。方戰。其大衆至。遂且鬬且卻。追至營。時沔陽長張翼在雲營內。欲閉門拒守。而雲更大開門。偃旗息鼓。操疑雲有伏兵。引去。雲擂鼓震天。惟以戎弩於後射曹軍。曹軍驚駭。自相蹂踐。墮漢水死者甚多。先主明旦至雲營。視昨戰處。曰：『子龍一身都是膽也。』

量沙却敵

六朝檀道濟爲太尉參軍從宋武帝征洛陽獲秦人四千餘議者欲盡坑之道濟曰「弔民伐罪正在今日」皆釋而遣之夷夏感悅所至望風降附文帝即位領兵伐魏所戰皆捷食盡引還有亡卒降魏具告以食盡魏人追之衆洶懼將潰道濟唱籌量沙以所餘少米覆其上及旦魏人視之見道濟資糧有餘以降者爲妄斬之道濟全軍而反

善用間諜

宋曹瑋沉勇有謀喜讀書通春秋三傳馭軍嚴明賞罰立決犯令者無所貸善用間周知虜動靜舉措如老將平居閒暇若儒生及出師多奇計出沒變幻人莫能測渭州有告戍卒叛入夏國者瑋方對客奕棋遽曰「吾使之行也」夏人聞知即斬叛者投其首

境上。瑋用士。得其死力。西羌唃厮羅使其舅賞樣丹與厮敦同謀內寇。瑋陰結厮敦。解所佩寶帶與之。厮敦感激求自效。間謂瑋曰：「有所使令。雖死不辭。」瑋曰：「賞樣丹嘗至汝帳下。代我取其首來。」敦愕然應諾。數十日。果斷其首以獻。

熟悉地勢

宋吳玠守蜀。播州冉璡及弟璞。俱有文武材。隱居蠻中。聞玠賢。上謁玠。待以上客。居數月。無所言。乃更別館以處之。覘其所為。兄弟終日不言。唯對踞以堊畫地。為山川城池之形。起則漫去。如是旬日。請見。屏人曰：「為今日西蜀計。其在徙合州城乎。」玠不覺躍起。執其手曰：「此玠志也。但未得其所耳。」璡曰：「蜀口形勝之地。莫若釣魚山。請徙諸此。若任得其人。積粟以守之。賢於十萬師遠矣。』玠大喜曰：『玠固疑先生非淺士。先生之謀。不敢掠以歸己』。遂密以聞於朝。請不次官之。詔璡權合州。璞權通判。徙城之事。悉以任之。釣魚城成。蜀始可守。　宋紀事本末

勤慎精密

晉陶侃拜征西大將軍荆州刺史。勤於吏職。恭而近禮。愛好人倫。遠近書疏。莫不手答。筆翰如流。未嘗壅滯。引接疏遠。門無停客。時造船。木屑及竹頭。悉令舉掌之。咸不解所以。後正會積雪始晴。聽事前餘雪猶溼。於是以屑布地。及桓溫伐蜀。又以侃所貯竹頭作丁裝船。其綜理微密。皆此類也。移鎮武昌。在軍四十一載。雄毅有權。明悟善決斷。自南陵迄于白帝數千里中。路不拾遺。侃性纖密好問。頗類趙廣漢。嘗課諸營種柳。都尉夏拖盜植之己門。侃後見

問曰：「此是武昌西門前柳，何因來此？」拖惶怖謝罪。咸和九年疾篤，將歸長沙，軍資器仗牛馬舟船皆有定簿，封印倉庫，自加管鑰，以付王愆期，然後登舟。朝野以爲美談。

賞罰嚴明（一）

唐張鎭周，舒州人也。武德八年爲舒州都督，到州，就故宅召親故酣晏，十日，贈以金帛，泣與之別，曰：「今日張鎭周猶得與故人歡飲，明日之後，則舒州都督治百姓耳。」自是犯法者一無所縱，境內肅然。唐通鑑綱目

罰賞嚴明（二）

北史源懷，謙恭寬雅，有大度。除車騎大將軍，巡行北邊六鎭，賑貧乏，考殿最，事之得失，先決後聞。自京師還洛，邊朔遙遠，連年旱，懷

存恤有方，有無道濟。時后父于勁勢傾朝野。勁兄子祚與懷通婚。時爲沃野鎮將，頗有受納。將入鎮，祚郊迎道左，懷不與相聞，即劾祚免官。懷朔鎮將元尼須與懷少舊，亦貪穢狼籍，置酒請懷曰：「命之長短，由卿之口，豈可不相寬貸？」懷曰：「今日之集，乃是源懷與故人飲酒之坐，非鞫獄之所也。明日公庭，始爲檢鎮將罪狀之處。」尼須揮淚無以對。既而表劾尼須。其奉公不撓，皆此類也。

罰賞得平

劉盱之役，軍士爭掔人頭以求賞給。張乖崖曰：「當衝鋒奔突之時，豈暇獲其首級？此必死後剪來，知復是誰之功？」段倫曰：「學士此言，果神明也。」當時隨倫爲先鋒入賊用命者，中傷被體，主帥已令赴營調理。公曰：「可盡擡來。」既至，命先錄其功，帶首級者次之。於是軍。情。大。愜。相。顧。歡。躍。凡此皆賞罰得平者也。夫賞當其功。罰合其罪。人皆盡心竭力以修其職業。而無希倖之心。彼不平者。必致羣小離心而怨叛矣。

賞罰公正

元。末東莞人王成作亂。何眞起義兵除之。募人能縛成。即予鈔十千。於是成之奴縛成以出。眞如數賞奴。令人具湯鑊駕車上。成懼以爲烹己。眞乃縛奴烹之。使人鳴鼓推車號於衆曰：「奴無縛主之理。所以羅此刑。」人服其賞罰之公。附之者益衆。

立威震軍（一）

齊田穰苴。景公與語兵事。說之。以爲將軍。穰苴曰：「臣素卑賤。君擢而加大夫之上。士卒未附。願得君寵臣監之乃可。景公使幸臣莊賈往。穰苴與賈約曰：旦日日中會於軍門。穰苴先馳至軍。申明約束。莊賈夕乃至。穰苴曰：「將受命之日則忘其家。臨陣約束則忘其親。援枹鼓之急則忘其身。今敵國內侵。卒士暴露。君乃安然」召軍正問曰：「軍法期而後至者云何。」對曰：「當斬。」遂斬莊賈以徇三軍。三軍股慄。與士卒平分糧食。身自拊循。三日而後勒兵。燕晉之師聞之。望風解去。追擊之。盡復所亡封內故境。景公郊迎。勞師成禮。尊為大司馬。齊威王用兵行威。大倣穰苴之法。而諸侯朝齊。威王使大夫追論古者司馬兵法。附穰苴於其中。因號曰：「司馬穰苴兵法。」

注：旦日。明日也。

立威震軍（二）

周孫武以兵法見吳王闔廬。王出宮中美女百八十人。使武教之戰。孫子分爲二隊。以王寵姬爲隊長。皆令持戟。三令五申。婦人大笑。斬二隊長以狥。復鼓之。婦人左右前後跪起。皆中規矩繩墨。用爲將。西破强楚。北威齊魯。著兵法十三篇。

威懾敵國

唐郭子儀爲涼州都督。魚朝恩素疾子儀功。譖于帝。以李光弼代子儀。領朔方兵。子儀失兵。無少缺望。朝廷議者。謂子儀有社稷功。而孽寇首鼠。乃置散地。非所宜。帝亦悟。及光弼敗邙山。失河陽。河東亂。朝廷憂二軍與賊。而少年新將望輕。不可用。乃以子儀爲天下兵馬副元帥。永泰元年。懷恩盡說吐蕃回紇黨項。利渾奴剌兵三十餘萬。掠涇邠。躪鳳翔。入醴泉奉天。京師大震。於是天子自將。屯苑中。急召子儀屯涇陽。纔軍萬人。比到。虜騎圍已合。乃使李國臣高昇魏楚王陳回光朱元琮各當一面。身自卒鎧騎二千出入陣中回紇怪問是誰。報曰:「郭令公。」驚曰:「令公存乎。」懷恩言天可汗棄天下。令公即世。中國無主。故我從之來。令公存。天可汗存乎。報曰:「天子萬壽。」回紇悟曰:「彼欺我乎。」子儀使諭虜曰:「昔回紇涉萬里。戡大憝。助復二京。我與若等休戚同之。今乃棄舊好。助叛臣。一何愚也。被背主棄親。於回紇何有。」回紇曰:「本謂公云亡。不然何以至此。今誠存。我等得見乎。」子儀將出。左右諫曰:「戎狄野心不可信。」子儀曰:「虜衆數十倍。今力不敵。吾將示以至誠。」左右請以騎五百從。又不聽。即傳呼曰:「令公來。」虜皆持相向。子儀同數十騎出。免冑見其大酋曰:「諸君同艱難久矣。何頓忘忠義而至是耶。」回紇捨兵下馬拜曰:「果吾父也。』子儀卽召與飮，遺錦綵結歡，誓好如初。

儒術治軍

漢祭遵爲人廉約小心，克己奉公。從光武征河北，賞賜盡與士卒，家無私財，韋袴布被，所在吏人不知有兵。范升奏云「遵爲將軍，取士皆用儒術，對酒設樂，雅歌投壺，雖在軍旅，不忘俎豆。」帝每歎曰：「安得憂國奉公之臣，如祭征虜者乎。」

手不釋卷

吳魯肅家富于財，周瑜嘗往見之，且求資糧。肅有米兩囷，囷三千斛，乃指一囷與之。後累立功，爲橫江將軍，爲人方嚴，雖在軍陣，手不釋卷。

磨礪名將

古之所稱爲名將者。孰不由屢次敗北而益進於兵法哉。華盛頓一生疆場之間。覆軍者不知凡幾。而卒轉禍爲福。大建功勳。昔羅馬有一名將。常得大捷。其始必有小敗。摸斐爲法國民政時有名大將。而始則每戰必敗。同人譏之。取譬於鼓。意謂其受人之擊也。威靈頓深明韜略。遇精銳之敵。忍他人所不能忍。以練其心膽。長其才識。故遂成巍然之勳名。

以寡抗衆

宋韓世忠目瞬如電。驚勇絕倫。以應募立功。擒方臘。討河北盜賊。從高宗南渡。平苗傅劉正彥之亂。世忠駐軍靑龍鎭。金兀朮欲濟江。世忠乃遣蘇德將百人伏龍王廟。戒之曰。「聞江中鼓聲。急出擊之。」兀朮率五騎趨廟中。伏兵先鼓而出。獲其兩騎。旣而接戰江中世忠妻親執桴鼓敵終不得濟虜兀朮之婿龍虎大王兀朮懼請盡歸所掠以假道世忠以八千人拒兀朮十萬之衆金人自是不敢渡江矣世忠爲京東淮東宣撫使屯楚州世忠披草萊立軍府與士同力役夫人梁氏親織箔爲屋將士有怯戰者世忠遺以巾幗故人人勵撫集流散通商惠工山陽遂成重鎮世忠在楚州十餘年兵僅三萬而金人不敢犯岳武穆被寃世忠心不平往詰秦檜曰「莫須有三字何以服天下也」

奮勇當先

魏鄧艾少有大志每見高山大澤輒規度軍營處所仕魏爲鎮西將軍魏景元中大舉伐蜀督軍自陰平道以氈自裹推轉而下士攀木沿崖魚貫而進遂平蜀

披甲先登

魏張遼鎮合肥。孫權以衆十萬圍合肥。遼夜募敢死士得八百人。椎牛饗將士。明日大戰。遼披甲先登。陷陣斬二將。衝壘入至權麾下。自旦戰至日中。吳人奪氣。往來奮擊。幾獲權。太祖勞之曰：「將軍。以步卒八百破賊十萬。自古用兵。未之有也」。拜征東將軍。

所向披靡

唐薛仁貴少貧賤。以田爲業。其妻曰：「夫有高世之才。要須遇時乃發。今天子自征遼東。求猛將。此難得之時。君盍圖功名以自顯」。乃往應募。仁貴恃驍勇。欲立奇功。乃着白衣以自標顯。所向披靡。賊遂奔潰。帝望見馳騾使問白衣者誰。始知其名。召賜金帛人馬甚衆。嘆賞久之。曰：「朕不喜得遼東。喜得虎將。以征高麗」。討賀魯。破吐蕃。伐突厥。累官左武衛將軍。封河南縣男。先是高麗九姓衆十餘萬。反仁貴三箭殺三人。氣懾乃降。歌曰：「將軍三箭定天山。將士長歌入漢關。」子訥。孫徵。三世為大將。

轉敗為勝

宋時。金主亮欲得淮南地。將兵百萬渡淮。中外震恐。樞臣葉義問督江淮軍。虞允文參謀軍事。王權自和州退歸。劉錡回鎭江。兩淮盡失。亮率大軍臨采石。而別以兵爭瓜洲。朝廷命成閔代錡。李顯忠代權。義問命允文往蕪湖迎顯忠。交權軍。且犒師采石。允文至。權已去。顯忠未來。敵騎充斥。我師三三五五。星散解鞍束甲。坐道旁。皆權敗兵也。允文謂坐待顯忠則誤國事。遂立招諸將。勉以忠義曰：「金帛告命。皆在此。以待有功。」衆曰：「今既有主。請死戰。」或曰。「公受命犒師。不受命督戰。他人壞之。公任其咎耶。」允文叱之曰：「危及社稷。我將安避。」乃命諸將列大陣不動分戈船爲五。其二並東西岸。其一駐中流。藏精兵待戰。其二藏小港備不測。部分甫畢。亮麾數百艘絕江而來。瞬息之間。抵南岸者七十艘直薄官軍。小却。允文入陣中撫時俊之背曰：「汝胆略聞四方。立陣後。則兒女子耳。」俊即揮雙刀出。士殊死戰。中流官軍以海鰌船衝敵舟。皆平沉。敵半死半戰。日暮未退。會有潰卒自光州至。允文授以旗鼓。從山後轉出。敵疑援兵至。始遁。允文又命勁弩尾擊追射。大破之。允文知亮敗。明當復來。夜半部分諸將。分海舟縋上流。別遣將以舟師截金人於楊林河口。明旦敵果至。因夾擊之。焚其舟三百。復大敗。敵遣僞詔來諭王權。似有宿約者。允文曰：「此反間也。』乃復書言『王權因退師已置憲典。新將李顯忠也。願快戰以決雌雄。』亮得書大怒。遂焚其龍鳳舟。斬梁漢臣及造舟者二人。率軍趨揚州。顯忠至采石。允文語之曰：『敵入揚州。必與瓜洲兵合。京口無備。我當往。公能分兵相助乎。』顯忠分萬六千與之。允文遂還京口。時敵屯重兵滁河。造三牐儲水深數尺。塞瓜洲口。楊存中等諸軍皆集京口。凡二十餘萬。允文以戰艦數少，聚村改治之。命張深守滁河口。扼大江之衝。以苗定駐下蜀爲援。亮至瓜洲。允文與存中臨江按試。命戰士踏車船中流上下。三周金山回轉如飛。敵持滿以待。相顧駭愕。亮死敵退。

轉敗爲功

用兵之道。乘敵人之間而擣其虛。其要莫貴乎神速。拿破崙流於希列納後嘗語於人曰：『予昔於阿戈拉之役。僅率二十五騎。而敗大敵。當時鏖戰三日。兩軍均有困憊之色。予以爲此勝負之轉機。不可失也。急命二十五人。吹號而進。猛力衝擊。敵遂奔避。蓋兩軍相戰。務在使敵驚惶。我軍若起驚惶。則將敗於敵矣。善乘此驚惶。將起之時。而奮勇直入。自可轉敗而爲功。』又曰：『將敗之瞬時。即可勝之機會。澳大利人不知時之價値。故彼踟躕之間。予得而擊敗之耳。』

第四篇　屯墾類

屯墾制敵（一）

漢趙充國上屯田奏曰：『臣所將吏士馬牛食所用糧穀。茭藁。調度甚廣。難久不解。繇役不息。恐生他變。爲明主憂。誠非素定廟勝之策。且羌易以計破。難用兵碎也。故臣愚心以爲擊之不便。計度臨羌東至浩亹。羌虜故田及公田民所未墾。可二千頃以上。臣願罷騎兵。留步兵分屯要害處。繕鄉亭。浚溝渠。治湟陿以西道橋。令可至鮮水左右。因事出賦。人二十晦。至四月草生。發郡騎及屬國胡騎各千。就草爲田。益積畜。省大費。謹上田處及器用薄。」上報曰：「卽如將軍之計。虜當何時伏誅。兵當何時得決。熟計其便。復奏。」充國上狀曰：「臣聞帝王之兵。以全取勝。是以貴謀而賤戰。百戰而百勝。非善之善者。故先爲不可勝。以待敵之可勝。蠻夷習俗雖殊於禮義之國。然其欲避害就利。愛親戚。畏死亡。一也。今虜亡其美地薦草。愁於寄託遠遯。骨肉心離。人有畔志。而明主班師罷兵萬人留田。順天時。因地利。以待可勝之虜。雖未即伏辜。可期月而望羌虜瓦解。此坐支解羌虜之具也。臣謹條不出兵留田便宜十二事。步兵九校。吏士萬人。留屯以爲武備。因田致穀。威德並行。一也。又因排折羌虜。令不得歸肥饒之地。貧破其衆。以成羌虜相畔之漸。二也。居民得並田作。不失農業。三也。軍馬一月之食。度支田士一歲。罷騎兵以省大費。四也。至春省甲士卒。循河湟漕穀至臨羌。以示羌虜。揚威武。傳世折衝之具。五也。以閒暇時。下先所伐林。繕治郵亭。充入金城。六也。兵出乘危徼幸。不出令反畔之虜竄於風寒之地。離霜露疾疫瘃墮之患。坐得必勝之道。七也。無經阻遠追死傷之害。八也。內不損威武之重。外不令虜得乘閒之勢。九也。又無驚動河西。并使生他變之憂。十也。治湟陿中道橋。令可至鮮水。以制西域。伸威千里。從枕席上過師。十一也。大費既省。繇役豫息。以戒不虞十二也。

屯墾制敵（二）

宋何承矩領潘州刺史。屯兵河陽。時契丹擾邊。承矩開易河蒲口。導水東注于海。資其陂澤。築隄貯水爲屯田。以遏敵騎之奔軼。嗣知雍州。適連年大水。又利用積潦。蓄爲陂塘。大作稻田以足食。爲河北屯田置制使。時發河北諸州戍兵萬八千人。給其役。開塘灤種稻。凡雄莫霸三州平戎順安等軍。興堰六百里。取江南早稻種。課令種之。初建議。沮者頗衆。及稻熟。承矩輦送闕下。議乃息。而芫蒲蜃蛤之饒。民賴其利。

屯墾養兵

宋孟珙父宗政知棗陽。招唐鄧蔡州壯士三萬餘人。號忠順軍。命江海統之。衆不服。以珙代海。珙分其軍爲三。衆皆帖然。又刱平堰於棗陽。自城至軍西十八里。由八疊河經漸水側水跨九阜建通天槽八十有三丈。溉田十萬頃。立十莊三轄。使軍民入屯。邊儲豐物。又命忠順軍家自畜馬。官給芻粟。馬益蕃息。至是復駐箚棗陽。嘉熙四年。拜四川安撫使。節制歸峽澧軍馬。珙至鎭。招集散民。爲寧武軍。蠲蜀政之弊。爲條頒諸郡縣。且曰「不擇險要立軍柵。則難責兵以衛民。不集流離安耕種。則難責民以養兵」。乃立賞罰。以課殿最。俾諸州奉行之。尋兼夔州路制置屯田。調夫築堰。募農給種。首秭歸。尾漢口。爲屯二十。爲頃十八萬八千二百八十。

兵工築堰

夏侯夔督豫州。積歲連兵。人頗失業。夔乃率軍人於蒼陵立堰溉田千餘頃。歲收穀百餘萬石。以充儲備。兼濟貧人。境內賴之。

第五篇　殘暴類

詐坑降卒

秦將武安君白起累戰有功。其後秦王使武安君攻邯鄲。武安君稱病不行。秦王怒。賜之劍。令自裁。武安君引劍自刎曰：「何罪於天而至此者。」良久曰：「我固當死。長平之戰。趙卒降者數十萬人。我詐而盡坑之。是足以死。」遂自殺。（史記白起傳）按夷堅志載江南民陳氏女年十七。素不知書。得病臨絕。忽語人曰：「我秦將軍白起也。爲生時殺人七八十萬。在地獄受無量苦。近始得復人身。然只世世作女人。壽不許過二十歲。今日之死。亦命也夫。」言畢而歿。然則史書所載。特其現生較著者耳。

誘坑降卒

隋王世充討劉元進。餘衆或降或散。世充召降者于通元寺瑞像前焚香爲誓。約降者不殺。散者歸首略盡。世充悉坑之于黃亭澗。死者三萬餘。由是餘黨復聚爲盜。世充後爲秦王擊破。爲人所殺。子元應。謀反伏誅。

誘殺降卒

漢李廣屢邊功不得封侯。語王朔曰：「豈吾相不當封侯耶。」朔曰：「將軍自念嘗有所恨否。」廣曰：「吾爲隴西守時羌嘗反。吾誘降者八百餘人。殺之。至今猶恨此耳。」朔曰：「禍莫大於殺已降此將軍所以不侯也』後廣出征失道自刎。

誘殺降將（一）

蕭樹爲郢州刺史魏樊子鵠率徐州刺史等攻之。樹城守不下。子鵠使人說之降。樹請委城還南。鵠許之。殺白馬爲盟。樹恃盟不爲戰備。與杜德別。請還南。德不許。送洛湯。賜死。未幾杜德忽得狂病云『樹打我不已』至死。驚不絕。

誘殺降將（二）

明胡宗憲領兵防倭。駐海上。時海寇徐明山號徐和尚。人材出衆。武藝超羣。雄長諸部。僭位稱王。倭國倚爲外藩。騷擾浙廣諸省。宗憲與衆計議。欲征倭寇。必必先降明山。始以檄諭。繼以書召明山遺校答書云。『朝有奸佞。未必能容壯士』辭氣激昂。閱者動色。

宗憲歎曰：「賊中有如此才人。」校答曰：「此我主王夫人手筆也。」先是金陵名妓王翠翹係官家女。其父緣事陷溺。翠翹賣身救父。誤落娼家。姿容才調冠絕一時。士大夫過南京者以不識翠翹為愧。明山在海中。聞其名。心懷愛慕。易服訪之。一見心傾。翠翹知明山非常人。約為伉儷。居月餘回海。遣寶馬香車迎翠翹。居處服用。僭擬妃后。翠翹才情敏妙。軍中一切文檄。落筆如飛。無不中竅。明山愛敬之如師友。言聽計從。宗憲知翠翹為明山所寵。乃卑禮厚幣致明山。另具珠玉釵環以遺翠翹。翠翹答書致謝。自是兩軍通好。宗憲遣媼私謂翠翹曰：「徐將軍朝肯投誠。暮卽大官矣。夫人受朝廷五花官誥。榮歸故里。豈不勝在此處乎。」翠翹心動。時明山心亦厭兵。許之。宗憲遣官迎接。二十里小宴。五十里大宴。

儀文周備。至轅門。左右請解甲。曰：「釋此便行禮也。」至儀門。請去刀。明山不肯。左右曰：「掛刀相見。乃屬員之禮。君係賓客。何用此。」去之。至堂。炮聲忽震。兩廊伏兵齊起。刀鎗亂下。明山大呼曰：「翠翹誤我。」遂被害。宗憲既除明山。發兵清剿。擄翠翹至。翠翹請葬明山。不許。請為尼。又不許。命給配小兵。翠翹曰：「明公誅降戮服。如天道何。」乃設香楮。望海而哭曰：「明山明山。妾負君矣。」題詩投江而死。其詩曰：「建旗海上獨稱尊。為妾投誠拜戟門。十里英魂如不昧。與君煙月伴黃昏。」後宗憲以玩倭律斬。蓋云報也。

悉戮投順

蔡居厚知鄆州。有梁由濼劫賊五百投順。公悉戮之。明年以兵部奉祠金陵疽發背命道士醮禳命王琪代作心詞明日居厚卒又明日琪卒既而琪還曰「適到陰司主者責琪既爲儒者乃敢代人詭作心詞欺上帝耶」琪曰「皆居厚命意琪行詞而已俄見數鬼引出居厚枷鎖連貫二鬼持血一桶自頭澆灌澆即大叫其苦萬狀既蘇復澆既澆復絕片時數次遙告琪曰「子歸急語我家救我我受苦只是鄆州一事耳」

誅及嬰孩

吳陸機及弟雲並以文章見重於時吳亡入晉爲孟起等所譖俱被殺初機雲父抗爲吳都護其克步闡也誅及嬰孩識道者尤之曰「後世必受其殃」及機之誅三族無遺（三國陸抗傳註）

慘殺降兵

漢董卓在宴會中。將降兵數百人于坐前。先斷其舌。或斬手足。或鑿其眼。或鑊煑之。未死。偃轉盃案間。會者皆戰慄。亡失匕箸。而卓飲食自若。後爲呂布所殺。滅三族。

殺降必殃

晉劉聰使其子粲攻南陽王模于長安。模敗而降。粲遂害模。聰聞之大怒。謂粲曰：『天道至神。理無不報。吾恐汝不免誅降之殃也』。粲後被誅。

殺降爭功

王韶屢主軍事。用兵有機略。其交親多楚人。依韶求仕。乃分屬諸將。或殺降敵老弱。爭以首級爲功。韶晚節言動不常。頗若病狂狀。後病疽。洞見五臟。蓋亦多殺徵云。

濫殺邀功

順治四年。許某隨大兵入粵。授許邑令。妄欲立功。乃收鄉閒長髮者十四人。僞稱山賊。申報上司。盡殺之。殺時正午刻。是日許之家屬赴任。途遇盜。刼殺男婦十四口。亦正午時。

盡焚村塢

樊子蓋在軍。持重未嘗負敗。然嚴酷少恩。果於殺戮。領兵討降郡賊。善惡無所分別。汾水之北。村塢盡焚之。臨終之日。見斷頭鬼前後重沓。爲之厲云。（隋書樊子蓋傳）隋將多不得其死者。豈獨高祖猜忌之故哉。觀其立功時。率皆狠戾自用。喜於誅戮。古人云。佳兵好還。道家所禁。豈不信然。夫聖人用兵。行其所不得已也。爲將者誠體此不得已之心。以生道殺人。又誰得而怨之乎。

剋餉濫殺

高駢爲劍南節度使自將出屯罷蜀兵月稟兵亂駢悉還其衣稟然密籍所給姓名盡殺之夷其族有一婦方乳子將就刑曰「且飽吾子不可使以餓就戮也」見刑者拜曰「渠以節度使奪戰士食一日忿怒淫刑以逞我死當訴於天使此賊闔門如今日冤也」駢後果爲畢師鐸所囚將見殺有奮而擊駢者曰「公陷人塗炭多矣尚何云」駢未暇答仰首如有所伺即斬之（唐書高駢傳）

堰水灌城

梁武帝聽王足之計堰淮水以灌壽陽發徐揚民丁及戰士二十萬負擔者肩上皆穿夏六月疾疫死者相枕是秋暴水暴漲壞堰沿淮城市村落十餘萬口皆漂入海王足後以罪誅覆族武帝亦

餓死臺城。

遏水灌敵

北齊劉豐壯勇善戰。王思政據長社。齊世祖命豐攻之。豐建水攻之策。遂遏洧水以灌之。水長魚鼈皆游焉。城將陷。豐忽見白氣入船。俄而暴風從東北來。正晝昏暗。飛沙走礫。船纜忽絕。至漂城下。豐游水欲上土山。爲浪所激。不得至。敵人鈎之。遂爲所害。

多殺必敗

秦時。陳涉反秦。使王翦之孫王離圍趙。或曰：「王離秦之名將也。今將强秦之兵。攻新造之趙。舉之必矣。」客曰：「不然。夫世爲將者必敗。何也。以其殺伐多。其後受其不祥也。」未幾王離果爲項羽所虜。

所在殘虐

諸葛長民督豫揚六郡軍事。驕縱貪侈。所在殘虐。長民夜眠中輒驚起跳踉如與人相打云「見一物甚黑而有毛脚奇健非我無以制之」一月中輒十數夜如是柱及椽桷間悉見有蛇頭擣衣杵相與語如人聲又見巨手長七八尺臂大數圍未幾遂伏誅

晉書諸葛長民傳

第六篇 奸貪類

譖賢害友

司馬申陳後主時爲右衛將軍頗作威福長應對能候人主顏色有忤己者必以微言譖之嘗晝寢於尙書下省有烏啄其口流血

及地時論以爲譖賢之故也。南史司馬申傳

忌功詆譖

郭子儀有興復之功。魚朝恩爲觀軍容使。忌子儀。值相州軍潰。極口詆譖。肅宗罷郭兵柄。居於京師。魚又與元振交攻之。必欲加以竄逐。帝疑未釋。郭憂甚。會吐蕃陷京師。卒得郭力再安社稷。以勳名終。朝恩元振皆以專恣伏誅。

排擠陷害

龐涓孫臏俱學兵法於鬼谷子。涓仕魏。自以才能不及臏。乃召至。縻以官。尋刖其足。使成廢人。臏佯狂。得免死。齊使者竊載以歸。田忌進之威王。以爲軍師。時龐涓伐趙。趙勝之。齊欲救趙。用臏計。直趨大梁。致魏還師。與戰大破之。後涓伐韓。臏又伐魏以救韓。致魏兵

於馬陵臨夜萬弩俱發涓至樹下自刎（列國志）

忌功排擠

廣州提刑鮑某險人也郡有賊變太守遞書告急於轉運使王罕罕自梅州提兵亟進子死於賊聞亦不哭又下令廣州每村用二三大戶召募丁壯百人作聲援軍聲大振卒破賊賊引去某忌其威名駐軍淮州日進一奏反言罕畏怯不戰又嗾言官李允共排之罕降官後功勞獲著復罕官加賞賚而某坐妄報軍情李允亦貶黜

忌妒敗功

寰朔之役楊業奉命副潘美進討虜陷寰州業謂美曰一賊鋒方銳未可戰宜引兵出大石路傳諭雲朔守將從石碣谷接應方得

萬全」監軍王侁以避死責業業不得已請行乃囑美于谷口分步兵强弩爲兩翼期以轉戰美從其言屯兵谷口侁復以虜將遁欲敗其功引兵而去業至不見一兵撫膺大哭奮身決戰而死朝廷聞其事罪侁案亂師律侁自殺爲業兵糴食而盡

驕橫

咸通中邠國杜悰節鎭鳳翔荊南廉訪使秦匡謀大舉討賊不勝來奔悰以其窮蹙可凌責令庭謁既不從則使吏責之曰「汝鳳翔民也乃抗鳳翔軍使耶」匡謀報曰「某雖家岐下少離中土君制節之日已忝分符比從荊南來遽難趨伏堦下」悰怒乃劾匡謀擅棄城池不能死王事請誅之朝廷勑悰案治遂斬匡謀其日旋風暴作衝突府幕悰大駭疾發未幾死唐史

貪吝

梁蕭紀都督益州。以黃金一斤爲餅。餅百爲篋。至有百篋。銀五倍之。錦罽稱是。每戰懸示將士。終不賞賜。自是人有離心。莫肯爲用。衆潰被殺。財沒于敵。

貪奢

宋滄州節度使朱信。纖嗇聚斂。於京師築大第。外營田園。其長子任供奉官。厚息貸於富室。券中俱有鍾聲纔絕本利齊到之語。蓋謂信一瞑目。即還也。於是私募傒僕十數輩。飾以珍異袍帶。令伺宅旁。俟其出。簇擁而去。鞍馬服玩。備極華美。日會京師衆無賴。樗蒱酗酒。嘗言盡此逸樂者。惟我而已。至信卒時。家貲已耗什之六七。弟甫四齡。乳母抱之詣府陳訴。奏於朝。餘財悉付其弟。並除供

奉官班籍遂貧困無依乃代獄卒搖鈴警夜又以疎忌被逐京師貨藥者多弄猢猻爲戲供奉委質焉公侯之裔一旦至此悲哉

奢侈

晉石崇領南蠻校尉加鷹威將軍在荊州刼遠使商客致富不貲後房百餘皆曳紈繡珥金翠絲竹盡當時之選庖膳窮水陸之珍與貴戚王愷奢靡相尚愷以香炊釜崇以蠟代薪愷作紫絲步障四十里崇作錦步障五十里愷以高三尺珊瑚樹示崇崇以鐵如意擊之碎愷以爲嫉己之寶聲色方厲崇命左右悉取珊瑚樹三四尺者六七株如愷比者甚衆崇有妓曰綠珠美而艷孫秀使人求之崇不許乃勸趙王倫誅崇車載詣東市崇曰「奴輩利我家財」收者曰「知財致害何不早散之」崇不能答一家皆被害

賞罰不平

晉史

昔有大帥。性極苛刻。決於行罰。憚於行賞。將士有過。一概殺之。至有功當賞。則躊躇再四。不得已。始予薄賚。甚至吝而不與。將士靡不離心。叅軍諫曰：「賞罰者。朝廷所以治天下也。功有大小。則賞有厚薄。過有大小。則罰有重輕。如持衡稱物。毫釐不爽。方足以服人心。昔諸葛孔明曰：「吾心如秤。不能爲人作輕重。」是以當時諸將用命。雖魏延反側之徒。帖然不敢有異議。李平廖立廢棄終身而無怨言。蓋能平吾心以平人心者。王道也。此孔明所以未易及歟。今君侯賞不按功。是賞不足以爲勸也。罰不按過。是罰不足以爲懲也。甚至當賞而罰。當罰而賞。種種不平。竊恐人懷異志。不肯効命疆埸。其何以懋建功勳乎。」帥拒而不納。一日率兵征苗。下令各裹十日糧。日行二百里。所過皆蠶叢鳥道。兵皆扳籐附葛。捨命而行。帥不恤艱苦。一味嚴刑驅迫。不許稍息。及苗亂既平。有功者俱不得稍沾恩澤。事聞於朝。下詔切責。後帥副大將軍出征。屢立殊勳。同事皆曰：「渠爲帥領兵。賞罰不平。人人怨恨。今此之役。若令渠奏功。報應安在。」共在大將軍前排擠之。竟不錄其功。亦云報也。

昏憒誤國

元明時。沿海近倭處。設重臣爲經略使。點監軍爲之副。有某公以宰輔出鎭。威名赫奕。自恃位高望重。變亂成法。一切口陰踈而無備。監軍平治道。屢獻奇策。擯棄不用。惟倚武弁余陞文員劉汝礪爲心腹。凡事信任之。二人恃寵驕矜。目中無人。忌監軍之才。在某公前共詆毀屈抑之。致監軍有能莫展。事事掣肘。一日監軍欲見某公。請設守望。嚴訓練。修戰艦。愼巡防。皆切中時弊。候謁三日。閽者拒之。乃乘二人回話之便。一同進見。俟二人言畢。緩緩敷陳。某公瞑目不答。半晌言曰：「多一事。則多一事之擾。徒糜朝廷糧餉。爾非知兵者。愼勿復言。」微哂之。二人亦相顧而笑。監軍辭出。不敢復言。倭乘無備。揚帆入寇。臨海郡縣。盡被殘破。損傷人民數萬。監軍特疏糾參。將某公疏防玩寇。倚信匪人之處。據實陳奏。天子震怒。將某公革職。戴罪立功。即陞監軍爲經略使。到任之日。余陞披冑負弓矢前驅。劉汝礪望塵俯伏。監軍顧而笑曰：「二公來耶。何勞重禮。」二人揮汗。不敢仰視。自是不蒙重用。

軍人訓條

一師行有紀。二嚴禁擄掠奸淫。三恤士卒饑寒疾苦。四禁兵夫騷擾良民。五不屠城邑。六不殺降卒。七不殺良冒功。八不賄縱渠魁。九不燒毀房舍。十不剋滅軍糧。十一不因賊邀利。十二不縱士卒重利剝民。十三不損人墳墓田禾。十四不放牛馬踐踏五穀。十五不强買物件。十六不縱兵捉人負戴。十七臨陣奮勇。十八寬宥脅從。十九訓練士卒以備緩急。二十協戢盜賊以安閭閻。

國家圖書館出版品預行編目資料

軍人道德／（清）陳鏡伊編
-- 初版 .-- 臺北市：
世界，2015.08
面；公分．　--（道德叢書；8）

ISBN　978-957-06-0534-1（平裝）
1. 軍人倫理學　2. 通俗作品

199.08　　104014619

世界書號：A610-2166

道德叢書之八

軍人道德

作　　者／（清）陳鏡伊編
發 行 人／閻　初
發 行 者／世界書局股份有限公司
登記證／行政院新聞局局版臺業字第〇九三一號
地　　址／臺北市重慶南路一段九十九號
電　　話／（〇二）二三三一一一三八三四
傳　　真／（〇二）二三三一一七九六三
網　　址／www.worldbook.com.tw
劃撥帳號／〇〇〇五八四三七　世界書局
出版日期／二〇一五年八月初版一刷
定　　價／台幣一六〇元
道德叢書全套十四冊，定價二二四〇〇元